Les baleines

Le béluga, l'épaulard et autres cétacés

Texte de Deborah Hodge

Illustrations de Pat Stephens

Texte français de Jocelyne Henri

J'EXPLORE

LA FAUNE

Éditions
SCHOLASTIC

Pour mes parents, Marion et Lyndon — D.H.
Pour Doug, Carrie, maman et Jamie — P.S.

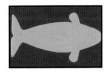

Pour la révision de mon manuscrit et la vérification des illustrations, je remercie John Ford, Ph.D., spécialiste des mammifères aquatiques, à l'Aquarium public de Vancouver, Parc Stanley, Vancouver, Colombie-Britannique.

Je tiens également à remercier la directrice de la collection, Valerie Wyatt, pour sa sagesse et son humour, et mes éditeurs, Valerie Hussey et Ricky Englander, de m'avoir donné la chance de créer cette collection sur la faune.

Merci aussi à mon amie et collègue, Linda Bailey.

Données de catalogage avant publication (Canada)
Hodge, Deborah
Les baleines : le béluga, l'épaulard et autres cétacés
(J'explore la faune)
Traduction de Whales.
Comprend un index.
ISBN 0-439-00430-6
1. Baleines – Ouvrages pour la jeunesse. I. Henri, Jocelyne. II. Stephens, Pat. III. Titre. IV. Collection.
QL737.C4H6314.1998   j599.5   C98-930701-8

Édition publiée par les Éditions Scholastic, 175 Hillmount Road, Markham (Ontario) L6C 1Z7, avec la permission de Kids Can Press Ltd.
Rédaction : Valerie Wyatt
Conception graphique : Marie Bartholomew
6 5 4 3 2   Imprimé et relié en Chine   05 06 07 08

Sommaire

Les baleines

Les baleines sont de gros animaux sauvages qui vivent dans l'océan. On les appelle parfois les géants de la mer.

Les baleines ressemblent à d'énormes poissons, mais ce sont des mammifères. Comme tous les autres mammifères, elles respirent à l'aide de poumons et elles ont le sang chaud. La température de leur corps reste la même, même dans les eaux glaciales. Les baleineaux se nourrissent du lait maternel.

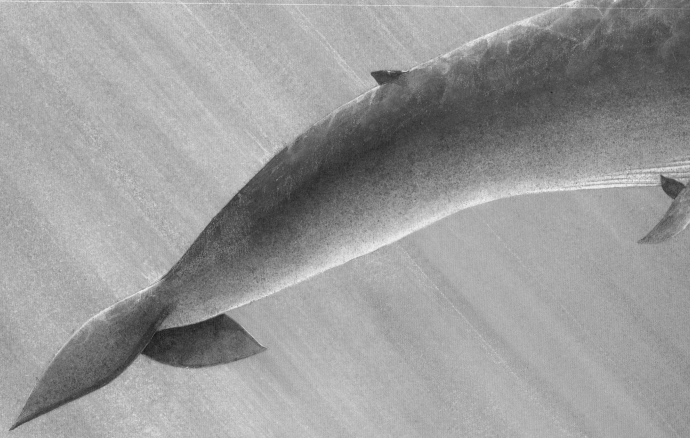

Le rorqual bleu est le plus grand animal du monde. Il peut mesurer jusqu'à 30 mètres de long, la taille d'un wagon! Le nouveau-né a la taille d'un autobus scolaire.

Un bébé
rorqual bleu
prend plus de
90 kg
par jour.

Quand
la baleine expire,
elle expulse de
l'air et de l'eau.

Les baleines à dents

Il y a deux grands groupes de baleines : les baleines à dents et les baleines à fanons.

Les baleines à dents ont des dents qui leur servent à capturer le poisson. Elles respirent grâce à un évent situé au sommet de la tête. Les baleines mâles sont généralement plus grosses que les femelles.

Béluga : 4,5 m

Épaulard : 9 m

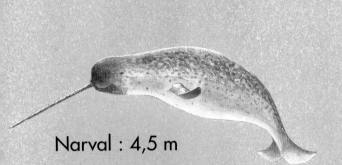

Narval : 4,5 m

L'épaulard capture sa proie avec ses dents tranchantes.

Globicéphale noir de l'Atlantique : 7 m

Grand cachalot : 18 m

Les baleines à fanons

La majorité des grosses baleines sont des baleines à fanons. Les baleines à fanons n'ont pas de dents mais plutôt de longues lames de corne appelées fanons. Les fanons servent de tamis pour retenir les petits animaux que les baleines mangent. Les baleines à fanons ont deux évents pour respirer. Les femelles sont généralement plus grosses que les mâles.

Rorqual bleu : 26 m

Rorqual à bosse : 15 m

Baleine franche noire : 17 m

Cette baleine franche boréale
montre ses fanons. Elle a
les plus longs fanons de toutes
les baleines.

Baleine grise
du Pacifique : 14 m

Baleine franche boréale : 18 m

Rorqual commun : 22 m

Le territoire

Les baleines vivent dans l'océan. L'océan leur procure la nourriture dont elles ont besoin et soutient la masse de leur corps. Il y a des baleines dans tous les océans du monde.

Certaines baleines vivent surtout dans les océans qui entourent l'Amérique du Nord. Ce sont les baleines grises du Pacifique, les baleines franches boréales, les baleines franches noires, les globicéphales noirs de l'Atlantique, les bélugas et les narvals.

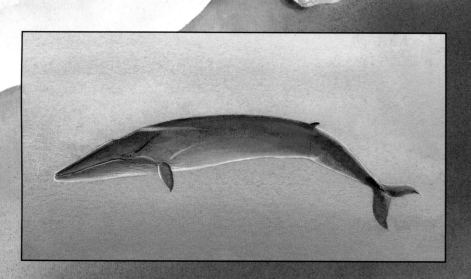

Les baleines à fanons, comme ce rorqual commun, vivent souvent seules.

LE SAIS-TU?

Les bélugas vivent en grands troupeaux. Il arrive qu'ils nagent en bande d'un millier ou plus à la recherche de nourriture.

La plupart des baleines à dents vivent en groupes. Un groupe de 12 à 20 baleines nagent ensemble à la recherche de nourriture. Certaines baleines à dents, comme les bélugas illustrés, forment même des troupeaux encore plus gros. Les bélugas chassent le poisson dans les eaux polaires de l'Arctique.

La migration

La plupart des baleines à fanons nagent vers les mers chaudes en hiver et les eaux plus froides en été. C'est la migration. Les baleines migrent vers les mers chaudes pour donner naissance à leurs baleineaux. Elles reviennent dans les eaux froides pour se nourrir. Les baleines à fanons migrent plus loin que tous les autres mammifères du monde.

Chaque printemps, les baleines grises quittent les eaux polaires de l'Arctique et migrent vers le Mexique. C'est là qu'elles se reposent et donnent naissance à leurs bébés. Au printemps, elles reviennent dans l'Arctique pour se nourrir. La baleine grise peut parcourir jusqu'à 16 000 km par année.

Les taches sur la peau de la baleine grise sont des petits animaux, appelés balanes, et des poux.

Migration des baleines grises

Océan Arctique

Canada

États-Unis

Océan Pacifique

Mexique

Lieu de naissance des baleineaux

Les parties du corps

Le rorqual commun est une baleine à fanons. Son corps est conçu pour vivre dans l'océan.

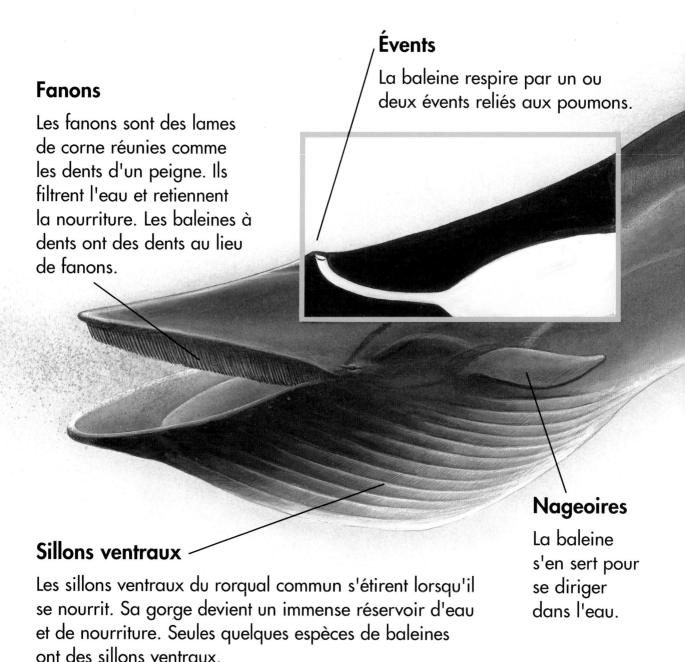

Évents

La baleine respire par un ou deux évents reliés aux poumons.

Fanons

Les fanons sont des lames de corne réunies comme les dents d'un peigne. Ils filtrent l'eau et retiennent la nourriture. Les baleines à dents ont des dents au lieu de fanons.

Nageoires

La baleine s'en sert pour se diriger dans l'eau.

Sillons ventraux

Les sillons ventraux du rorqual commun s'étirent lorsqu'il se nourrit. Sa gorge devient un immense réservoir d'eau et de nourriture. Seules quelques espèces de baleines ont des sillons ventraux.

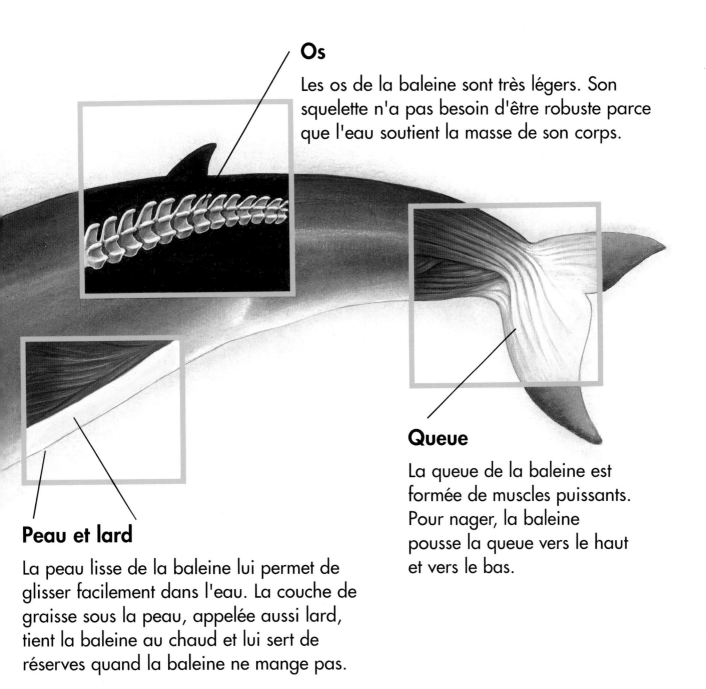

Os

Les os de la baleine sont très légers. Son squelette n'a pas besoin d'être robuste parce que l'eau soutient la masse de son corps.

Queue

La queue de la baleine est formée de muscles puissants. Pour nager, la baleine pousse la queue vers le haut et vers le bas.

Peau et lard

La peau lisse de la baleine lui permet de glisser facilement dans l'eau. La couche de graisse sous la peau, appelée aussi lard, tient la baleine au chaud et lui sert de réserves quand la baleine ne mange pas.

La manière de se déplacer

Les baleines sont des nageurs robustes. Elles se déplacent en poussant la queue vers le haut et vers le bas. En plus de nager sous l'eau, les baleines sautent et retombent en faisant éclabousser l'eau. Ces rorquals à bosse font la démonstration de quelques activités de surface.

Certaines baleines sortent la tête pour faire le guet hors de l'eau.

Ce rorqual à bosse fait un saut hors de l'eau et plonge tête première. Les scientifiques ignorent la raison de ce comportement. Il s'agit peut-être d'un jeu.

Le rorqual à bosse est réputé pour ses acrobaties.

Certaines baleines exécutent le battement de la surface de l'eau avec la nageoire pectorale. C'est peut-être pour communiquer avec les autres baleines.

Le frappement de la queue à la surface de l'eau fait beaucoup de bruit. La baleine est peut-être en colère.

Les sons émis par les baleines

Les baleines à dents émettent des claquements qui sont répercutés par les obstacles. L'écho permet aux baleines de repérer leurs proies et de se diriger dans les eaux sombres de l'océan.

Les scientifiques pensent que les baleines font d'autres sons pour communiquer entre elles. Les rorquals communs gémissent, les bélugas sifflent et les rorquals à bosse chantent.

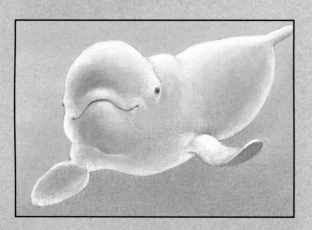

Les marins donnaient au béluga le nom de «canari des mers» à cause des sifflements sonores qu'il émet.

Chaque groupe d'épaulards émet environ dix cris particuliers.
Les scientifiques apprennent à connaître les habitudes d'un groupe
en écoutant leurs cris grâce à des microphones.

L'alimentation

L'alimentation des baleines varie d'une espèce à l'autre.

Les baleines à dents mangent du poisson et des calmars. Elles chassent leurs proies et les avalent tout rond.

Ce grand cachalot peut plonger jusqu'à 1 000 m ou plus pour attraper un calmar géant.

Les baleines à fanons mangent le krill et
le plancton (petits animaux et petites plantes
qui flottent dans l'eau). Elles mangent aussi
des petits poissons qui nagent en banc.

Cette baleine franche noire se nourrit en
nageant la bouche grande ouverte. L'eau et
le krill entrent dans sa bouche. L'eau en
ressort par les fanons, mais le krill
reste emprisonné.

Gros plan du krill
que plusieurs
espèces de baleines
mangent. Le krill est
parfois plus petit
qu'un grain de riz.

La naissance

Le bébé de la baleine, le baleineau, naît dans l'eau. Quelques secondes après sa naissance, la mère le guide à la surface pour qu'il puisse respirer. La mère surveille attentivement son baleineau. Elle le protège contre les dangers.

Le baleineau reste près de sa mère et boit son lait. Riche en gras, le lait aide le baleineau à grandir rapidement.

Cette femelle grand cachalot projette son lait dans le gosier du baleineau.

Le nouveau-né d'une femelle épaulard vient au monde la queue en premier. Il mesure environ 2 m. Sa taille l'aide à survivre dans les eaux glaciales.

La croissance et l'apprentissage

Quelques heures après sa naissance, le baleineau peut nager parfaitement. Il apprendra bientôt à sauter hors de l'eau et à plonger.

La plupart des baleineaux restent avec leur mère deux ou trois ans, jusqu'à ce qu'elle soit prête à donner naissance à un autre baleineau. Il faut dix ans ou plus au baleineau pour atteindre sa taille adulte.

Un rorqual à bosse et son baleineau nagent très près l'un de l'autre. Ils se touchent souvent.

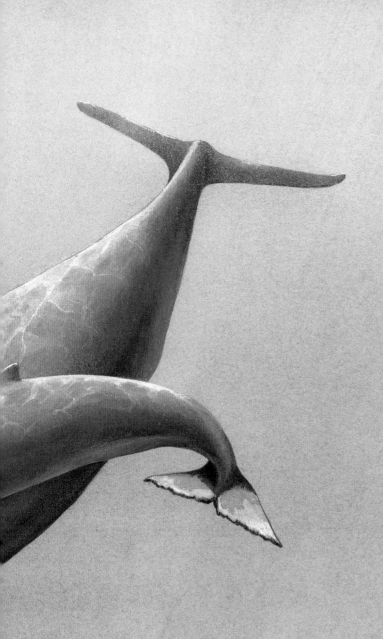

Le baleineau est vite fatigué. Ce nourrisson se repose sur le dos de sa mère.

Les jeunes épaulards aiment s'amuser. Ils s'exercent à sauter hors de l'eau et à plonger.

Les moyens de défense

Les baleines sont des animaux gigantesques. Elles n'ont presque pas d'ennemis, mis à part les épaulards et les requins. Les épaulards attaquent presque tout ce qui bouge, même des baleines beaucoup plus grosses qu'ils ne le sont.

LE SAIS-TU?

Il y a 78 espèces de baleines. Les dauphins et les marsouins sont les plus petites d'entre elles.

Ces baleines grises se cachent dans une forêt de varech. Le varech les protège des épaulards, qui émettent des cliquetis pour repérer leurs proies. Les cliquetis sont répercutés par le varech et non par les baleines. Elles sont sauves!

Les baleines et les humains

Il y a longtemps, les baleines étaient chassées sur tout le globe. Aujourd'hui, il y a des lois qui les protègent. Malheureusement, certaines baleines, comme le rorqual bleu et la baleine franche noire, ont tellement été chassées qu'il en reste très peu.

Comme c'est le cas pour toutes les créatures vivantes, les baleines ont besoin de nourriture, d'air pur et d'eau. Quand du pétrole et d'autres matières dangereuses sont répandues dans l'océan, les créatures qui servent de nourriture aux baleines risquent d'être empoisonnées ou de mourir. Pour vivre en santé, les baleines ont besoin d'eau pure et de nourriture en quantité.

Les baleines en liberté peuvent vivre 50 ans.

Il arrive que des globicéphales noirs s'échouent sur la plage. Les scientifiques ne savent pas pourquoi. Les gens tentent de les sauver en les ramenant dans l'eau.

L'observation des baleines

De nos jours, l'observation des baleines a remplacé la chasse. On peut identifier une baleine en observant la taille et la forme de son corps, sa couleur et ses marques, ou même la taille et la forme de sa queue.

Rorqual bleu

Rorqual à bosse

Épaulard

Baleine grise

Narval

Cachalot

Compare la queue que tu vois sur ces deux pages avec celles de gauche. Peux-tu dire de quel type de baleine il s'agit?

C'est un rorqual bleu. En réalité, sa queue est 15 fois plus grosse que la queue que tu vois sur ces deux pages.

Les mots nouveaux

baleine à dents : une baleine qui a des dents au lieu des fanons

baleine à fanons : une baleine qui a des fanons au lieu des dents

baleineau : une jeune baleine

évent : une ouverture au sommet de la tête par laquelle la baleine respire

fanons : des rangées de lames de corne grâce auxquelles la baleine retient les petits poissons dont elle se nourrit

krill : une petite créature semblable à la crevette, que les baleines à fanons mangent

lard : une épaisse couche de graisse sous la peau

mammifère : un animal à sang chaud dont les bébés sont vivants à la naissance et se nourrissent du lait maternel

migrer : voyager d'un endroit à un autre quand arrivent les changements de saisons

plancton : des plantes et des animaux minuscules qui flottent ensemble dans l'océan

proie : un animal qui est chassé pour servir de nourriture

sang chaud : dont la température du corps est chaude, même lorsque l'eau ou l'air est froid

souffle : un jet de vapeur expulsé par les évents de la baleine

Index